De Klugt-code

Aj

De Klugt-code

Bies van Ede
Met tekeningen van Yolanda Eveleens

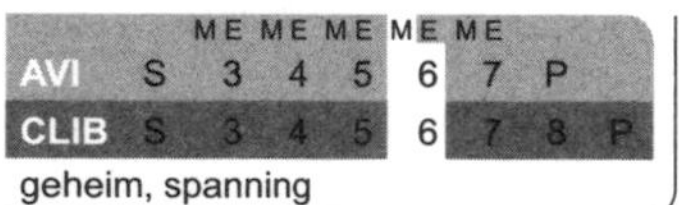

Toegekend door Cito i.s.m. KPC Groep

avi 9

1e druk 2007
ISBN 978.90.276.7468.5
NUR 282/283

Uitgeverij Zwijsen B.V., Tilburg
Vormgeving: Rob Galema

Voor België:
Zwijsen-Infoboek, Meerhout
D/2007/1919/295

Inhoud

1.

Thijs staat voor de dichtgeverfde etalage van een winkel. Het woord 'Weggeefwinkel' is woest weggekrabd. 'Op last van de Belastingdienst gesloten' zegt een geel-zwarte sticker op de deur.

Dit was de winkel van Thijs' vader. Heeft zijn vader de ramen witgeverfd? Is de winkel dan voorgoed dicht?

Een week geleden dacht Thijs nog dat hij rijk zou worden, rijk en wereldberoemd. Nu zijn ze alles kwijt. Thijs' vader wordt van allerlei dingen verdacht door de politie en de Belastingdienst.

Twee agenten komen de hoek om gelopen. Thijs draait zich om en maakt dat hij wegkomt, want de politie is niet te vertrouwen. Iedereen kan een uniform aantrekken, een pet opzetten of een net echt lijkende identiteitskaart laten zien.

Hij schiet een zijstraat in, slaat willekeurig een paar hoeken om en staat dan voor het huis van Cas Arts. Hier had hij helemaal niet willen komen. Hij heeft hier niets te zoeken. Het huis is dichtgetimmerd; zwarte roetvlekken laten zien waar de vlammen naar buiten zijn geslagen. De geur van verkoold hout, gesmolten plastic en metaal is nog goed te ruiken.

Met het gevoel alsof er lood in zijn benen zit, sjokt Thijs verder. Een auto rijdt opvallend langzaam door de straat. Hij heeft ruiten van donker glas. Thijs voelt hoe zijn hart naar zijn keel kruipt. Zijn ze naar hem op zoek? Wordt hij de volgende die iets naars overkomt? De mensen die zijn vijanden zijn, deinzen nergens voor terug. Ze hebben een oude man het ziekenhuis in geslagen, een huis in brand gestoken en zijn vaders winkel vernield. Zijn vijanden zijn zó machtig dat zelfs de politie doet wat ze zeggen.

De auto rijdt door, maar Thijs weet bijna zeker dat hij zich niet vergist heeft.

Hij loopt verder en denkt aan hoe het allemaal begon. Het was woensdagmiddag en Thijs hielp zijn vader in de winkel ...

Cijfers en letters

'Hij is van míj, kleine garnaal!' De man die de monitor vastklemt alsof hij van goud is, ziet er niet echt arm uit. Niet als iemand die zelf geen computermonitor kan kopen. Toch is hij niet van plan het gratis scherm af te staan aan de magere jongen met de paardenstaart. Hij brult als een boeman.

Thijs legt zijn pen neer en kijkt toe vanuit de sorteerruimte achter de winkel. Hoe gaat zijn vader deze ruzie sussen?

'Ik kan je natuurlijk ook een knal geven,' zegt de man met de monitor. Hij ziet eruit alsof hij het zal doen ook. Zijn stem is koud van woede.

Thijs' vader komt achter de toonbank vandaan. 'Zet u de monitor weer terug?' zegt hij vriendelijk. 'U hebt zojuist de regels van de winkel overtreden; u mag niets meer meenemen.'

Het lijkt of de man ook bereid is Thijs' vader een knal te verkopen. Hij maakt een gebaar alsof hij de monitor wil laten vallen. Thijs' vader springt naar voren om hem op te vangen. Honend lachend zet de man de monitor terug in het schap en loopt de winkel uit.

De magere jongen is bleek geworden en kijkt geschrokken om zich heen.

Thijs holt de winkel in. 'Wat een idioot, hè, pap?'

GEEFWINKEL

Zijn vader snuift. Zoiets hoor je niet te zeggen waar mensen bij zijn. Ook al hoeven klanten in deze winkel niets te betalen, je moet toch beleefd blijven. Een weggeefwinkel is de enige winkel waar je zonder geld iets kunt kopen. Heb je spullen over? Breng ze dan naar de weggeefwinkel. Heb je iets nodig, kom dan naar de weggeefwinkel: misschien hebben ze het daar wel. Kleine ruzies tussen klanten komen voor, maar gelukkig niet vaak. Echte hebberds willen hun spullen blijkbaar niet tweede-, derde- of vierdehands.

'Nou,' zegt Thijs' vader tegen de jongen. 'Hij is voor jou. Veel plezier ermee. Ik hoop dat-ie het doet.'

'Hebt u hem niet getest?' vraagt de jongen.

Thijs' vader schudt zijn hoofd. 'Daar hebben we jammer genoeg geen tijd voor en we hebben er ook geen verstand van.'

'Uh,' zegt Thijs, 'ik heb hem gisteren even aangesloten op die computer die werd binnengebracht. Hij doet het prima.'

De jongen begint te glimmen. 'Tof,' zegt hij. 'Dat is nou helemaal te gek, bedankt!'

Blij loopt hij de weggeefwinkel uit.

Het is stil voor een woensdagmiddag. Thijs kan rustig zijn gang gaan in de sorteerruimte, want zijn vader heeft hem in de winkel niet nodig.

Op de sorteertafel heeft Thijs een puzzel uit een tijdschrift liggen. Woordzoekers zijn leuk, maar makkelijk.

Het kost hem geen moeite alle woorden te vinden. Hij pakt de pen die hij heeft neergelegd toen de man begon te schreeuwen. Met snelle gebaren streept hij de woorden aan. In een paar minuten is de puzzel klaar.

Thijs grijnst. Hij doet het tijdschrift dicht en pakt een doos boeken uit de hoek. Hij is wel trots op het kunstje dat hij beheerst, of, zoals zijn vader zegt: de gave die hij heeft. Thijs kan rekenen. Niet alleen met cijfers, maar ook met woorden, figuren, vormen, noem maar op. In één oogopslag ziet hij wat bij elkaar hoort, in welke volgorde het moet staan en waar de strikvragen zitten. Allemaal erg handig, en het levert hem prima cijfers op voor rekenen en taal.

Thijs bekijkt de boeken in de doos. Er zit niets bij wat voor hem interessant is. Allemaal pockets met onbegrijpelijke titels. 'Het priemgetal', 'De magie van algoritmes'. Het zijn waarschijnlijk oude studieboeken die alleen nog interessant zijn voor de papierversnipperaar. Dan wordt er nieuw papier van gemaakt. Er zit maar één ding tussen dat zijn aandacht trekt: een schrift met een kartonnen kaft en een linnen rug. Thijs slaat het schrift open en laat zijn ogen over de bladzijden gaan.

Als zijn vader een kwartier later de sorteerruimte binnenkomt omdat het er zo stil is, zit Thijs op een kruk. Hij heeft zijn ellebogen op tafel en zijn hoofd in zijn handen. Roerloos staart hij naar het schrift voor zich.

Thijs' vader kijkt even mee. De bladzijden van het

schrift staan vol gekriebeld met getallen, niets dan getallen.

‘Wat heb je nou weer gevonden?’ vraagt hij.

Thijs ontwaakt uit zijn gestaar en kijkt zijn vader bijna wanhopig aan.

‘Ik zie het niet, pap,’ zegt hij. ‘Ik snap er helemaal niets van!’

‘Wat dan?’ vraagt zijn vader, die niets anders ziet dan getallen.

‘Pap, er zit een soort regelmaat in de getallen, er zit een boodschap in verborgen, maar ik begrijp hem niet!’ Thijs wijst op een pagina. ‘Kijk, hier heb je steeds dezelfde getallen bij elkaar. Soms staan ze in dezelfde volgorde, dan zijn ze weer door elkaar gegooid. Die groepjes betekenen iets, maar ik zie niet wát!’

Thijs’ vader kijkt naar de doos op tafel en loopt dan naar de hoek van de sorteerruimte.

‘Er zijn nog drie van die schriften. Deze hele stapel dozen is tegelijk gebracht. Misschien vind je in de andere schriften de oplossing.’

’s Avonds zit Thijs thuis over de schriften gebogen. Eigenlijk zou hij voor de pc in de winkel een programma bedenken, iets wat alle ongewenste mail tegenhoudt. De computer in de winkel is zó oud, dat moderne programma’s er niet op werken. Internetten gaat nog net, maar de pc loopt vast zodra er een te zwaar programma op wordt gedraaid. Een betere pc zou een simpele oplossing zijn. Maar ja, Thijs' vader heeft niet voor niets een weggeefwinkel. Hij doet niet mee aan 'kopen, kopen, kopen', dus zit hij met oude zooi. Thijs vindt het wel een uitdaging. Wie verzint er nou zijn eigen antispamprogramma, niemand toch?

Maar nu heeft hij iets nog uitdagenders te doen. De schriften met de kartonnen kaften verbergen een geheim dat ontrafeld moet worden. En Thijs is niet van plan zich door een paar schriften op zijn kop te laten zitten.

Meneer Van der Klugt

'Kom op, Thijs,' zegt zijn moeder op zaterdagochtend. 'Het is prachtig weer. Je hebt zowat vierkante ogen van die computer, dus ga eens lekker buiten spelen.'

Thijs weet dat tegensputteren geen zin heeft. Zijn moeder is nogal fanatiek over buiten spelen en frisse lucht.

De schriften uit de winkel hebben hem geen moment met rust gelaten. Iemand moet hem kunnen vertellen wat die getallen betekenen, maar waar vindt hij die iemand?

Het schiet hem pas te binnen als hij de weggeefwinkel binnenloopt. Een opkoper is bezig stapels boeken in dozen te leggen. De boeken staan al te lang in de winkel. Niemand wil ze hebben, dus worden ze hergebruikt voor karton en wc-papier.

'Thijs, kun je me zo even helpen?' zegt zijn vader. 'Ik word helemaal gestoord van alle spam in mijn e-mail.'

Thijs knikt terwijl hij naar de opkoper kijkt. Een armvol pockets gaat de doos in. Al die boeken heeft Thijs vorige week nog netjes gesorteerd en ...

'Nee, wacht!' roept hij, terwijl hij een soort duik naar de doos maakt en voor de handen van de opkoper een boekje weggraait. Hij heeft het boek 'De magie van algoritmes' te pakken, een van de pockets uit de doos met de kartonnen schriften. Hij slaat het open en tot zijn grote vreugde ziet hij een stempeltje op de titelpagina: S. vd Klugt, met een adres.

'Waar ga je naartoe? Je zou me helpen met mijn mail!' zegt zijn vader smekend en teleurgesteld als Thijs naar buiten loopt.

Als Thijs een kwartier later voor de deur van het huis staat, weet hij meteen al dat hij voor niets is gekomen. Het huis is leeg, verlaten, met kale vloeren en ramen zonder gordijnen. De bewoners zijn verhuisd en hebben de boeken die ze niet meer wilden hebben bij de winkel ingeleverd. Voor de zekerheid belt Thijs aan, maar hij weet wel dat het zinloos is.

'Daar woont niemand meer, hoor,' zegt een stem achter hem.

Thijs draait zich om. Een oude dame met een poedeltje bekijkt hem nieuwsgierig vanaf de stoep. 'Meneer Van der Klugt is vorige week verhuisd. Hij zit nu in De Jagtenberg in een aanleunwoning.'

Thijs luistert niet verder naar het oeverloze verhaal dat de vrouw van plan is af te steken. Hij gaat meteen op weg naar De Jagtenberg, de bejaardenflat aan de rand van de wijk.

In het plantsoen bij het bejaardentehuis staan drie rijen lage huizen: kleine bungalows met platte daken, een stenen terrasje en een smalle reep tuin. Het huisje van meneer Van der Klugt is makkelijk te herkennen: er staat nog een stapel verhuisdozen in de kamer en het naambordje op de deur glimt van nieuwigheid.

Thijs belt aan en een lange man met borstelig geknipt haar en waterige blauwe ogen die hem toch scherp aankijken, doet de deur open. Hij heeft twee stokjes in zijn hand.

'Bent u meneer Van der Klugt?'

De man knikt en kijkt Thijs vragend aan.

'Ik ben van de weggeefwinkel,' zegt Thijs, en terwijl hij praat, schiet hem een geweldige smoes voor zijn bezoek te binnen. 'Uw boeken zijn bij ons gebracht, maar er zaten ook persoonlijke dingen tussen. Schriften met dagboeken, denk ik, en ik vroeg me af of u ze misschien terug wilt hebben. Anders gaan ze de versnipperaar in en wordt er karton van gemaakt.'

De man tikt de twee stokjes tegen elkaar. Het zijn drumstokken, ziet Thijs nu.

'Dat lijkt me een prima plek; ik hoef die rommel niet meer. Maar aardig dat je even kwam waarschuwen.' De man wil de deur alweer dichtdoen en daarom zegt Thijs haastig: 'Maar het kunnen ook codes zijn in plaats van dagboeken.'

De ogen van de man zijn opeens niet meer waterig. 'Kom even binnen,' zegt hij dan.

Het huisje is iets groter dan het van buiten lijkt, maar veel stelt het niet voor. Vooral niet als je in de kleine slaapkamer een levensgroot drumstel hebt staan.

De man ziet Thijs kijken. 'Ik ben drummer,' zegt hij. 'Nou ja, ik was drummer voordat ik een ouwe vent in een bejaardenwoning werd.'

En als ze in de huiskamer staan, zegt hij: 'Hoe kom jij nou bij geheimschriften in mijn dagboeken?'

'Ik zei codes,' zegt Thijs. 'Codes zijn wat anders dan geheimschriften.' Deze wijsheid heeft hij van internet, maar dat weet meneer Van der Klugt niet.

Meneer van der Klugt kijkt Thijs bewonderend aan. 'Jij bent wijs voor zo'n klein opdondertje ... Maar dan nog, waarom dacht jij aan een code?'

Thijs probeert het uit te leggen. Van de cijfers die steeds terugkeren. Dat er een verband moet zijn en een betekenis. En dat hij het niet kan uitstaan dat hij het niet begrijpt.

Meneer Van der Klugt biedt hem een stoel aan en een glas appelsap en luistert intussen aandachtig.

'Jij hebt een hoop fantasie,' zegt hij, als Thijs is uitverteld. 'En nou denk jij dat ik je die code ga uitleggen?'

'Dus ik heb gelijk?' vraagt Thijs.

'Ja,' zegt meneer Van der Klugt. 'Helemaal gelijk.'

Thijs wíst het wel, maar zomaar gelijk krijgen verbaast hem toch.

'En bovendien,' zegt de oude meneer, 'ben jij de eerste die zag dat groepjes cijfers bij elkaar hoorden. Weet je dat echte code-experts dat niet eens in de gaten hadden? Volgens mij ben jij een cijfergenie.'

Thijs haalt bescheiden zijn schouders op. 'Wilt u me

north sea jazz

uitleggen hoe de code in elkaar zit? Ik vind het zo stom dat ik er zelf niet uit kom.'

Meneer Van der Klugt grinnikt. 'Je zei zelf al dat er een verschil is tussen een code en geheimschrift. Dit is geen code, het is een geheimschrift. En omdat jij de eerste bent, die er zo ver mee is gekomen, wil ik het wel aan je uitleggen.'

De Klugt-code

'Luister,' zegt meneer Van der Klugt. 'Hoor je het verschil tussen dit ritme en dit?' Hij roffelt twee verschillende roffels.

Thijs knikt; het verschil is duidelijk. Maar wat heeft drummen met geheimtaal te maken? Voordat hij het kan vragen, weet hij het antwoord al: het is net als bij indianen met rooksignalen, of mensen in Afrika met tamtams.

'Ik was drummer,' zegt meneer Van der Klugt, 'maar met muziek je brood verdienen is voor bijna niemand weggelegd, dus had ik een baantje nodig. Vijftig jaar geleden zag de wereld er heel anders uit. Heb jij al geschiedenis op school?'

Thijs knikt en rekent snel terug. 'De Tweede Wereldoorlog was toen al afgelopen,' zegt hij.

'Ja, de Tweede Wereldoorlog was al afgelopen, maar om nou te zeggen dat er vrede was, néé. Iedereen was bang dat de Russen Europa zouden veroveren. Er werd niet gevochten door soldaten, maar door geheim agenten die probeerden erachter te komen wat de vijand van plan was. "De Koude Oorlog", noemden ze het.'

'Spionage!' zegt Thijs enthousiast.

'Zo leuk was dat allemaal niet, en je moet niet denken dat de films die je op tv ziet wáár zijn. Geheim agenten waren geen helden in snelle auto's en met vliegtuigen die in onderzeeërs konden veranderen. Ik weet daar alles van, want ik heb jaren bij de geheime dienst gewerkt.'

Thijs voelt dat zijn gezicht één en al ongeloof is, maar hij kan er niets aan doen. Deze oude meneer een geheim agent, een spion?

Meneer Van der Klugt lacht hardop. 'Ik zei toch al dat films onzin zijn? Ik heb die jaren dat ik voor de dienst werkte nooit iets anders gedaan dan in een kamertje zitten en berichten proberen te ontcijferen; dát is het werk van geheim agenten. Geen erg opwindend werk, dat verzeker ik je. Ik wilde een geheimtaal ontwerpen die niemand zou kunnen ontcijferen. En omdat ik eigenlijk drummer ben, begon ik aan een geheimtaal die met ritme te maken heeft. Muziek is tenslotte ook een soort geheimtaal.'

Thijs kijkt hem verbaasd aan. Zo heeft hij er nooit over nagedacht.

Meneer Van der Klugt roffelt met zijn stokjes op tafel. 'Je weet hoe geheimtalen werken, hoop ik?'

'Natuurlijk,' zegt Thijs.

'Nou, geef mij dan eens een voorbeeld van een geheimtaal?'

'Pfft,' zegt Thijs. Hij denkt diep na. 'O ja, ik weet er wel een. We hebben allebei hetzelfde boek en we hebben afgesproken dat we van dat boek bladzijde tien gebruiken. De eerste letter van de eerste regel is een "h". Dat is dus regel 1, letter 1 en die letter krijgt dus als cijfer 11.

De vierde letter van de eerste regel is een "o", dat wordt dus 14. En de tiende letter van regel 20 is een "i". Dat is dan 2010. Dus de cijfers 11, 14, 2010 achter elkaar betekenen "hoi".'

Meneer Van der Klugt knikt. 'De cijfers zijn de code en het boek is de sleutel. Als je niet weet welk boek wij gebruiken, kom je nooit achter de geheimtaal. Nog veel beter is het, als de sleutel elke keer anders is. Want áls de vijand een sleutel al ontdekt, kan hij er de volgende keer niets meer mee.'

Thijs kijkt naar de schriften en zegt voorzichtig: 'Hebt u die schriften weggedaan omdat u geen goede code kon bedenken?'

Meneer Van der Klugt schudt zijn hoofd. 'Het is een briljante code,' zegt hij. 'De sleutel was net als een drumpartij in een stuk muziek. Hij veranderde bij elk nieuw bericht. Net zoals je op één stukje muziek ook steeds iets anders kunt drummen. Er was maar één probleem: je moest die veranderingen in de sleutel steeds uitrekenen. Hoelang denk je dat je daarmee bezig bent? Er was gewoon niemand die snel genoeg kon rekenen.'

Meneer Van der Klugt laat zijn stokjes met een droge klap op de tafel neerkomen. 'Die vier schriften daar zijn niet de code. Die schriften zijn de sleutel. En dan nog niet eens helemaal compleet. Voor de zekerheid heb ik het vijfde schrift bij me gehouden. De Klugt-code is hopeloos ingewikkeld en veel te groot.'

Meneer Van der Klugt neemt hartelijk afscheid van Thijs. 'Kom je gauw weer?'

Op weg naar huis laat Thijs de plastic tas tegen zijn been tikken. Hij heeft de schriften mee naar huis gekregen. Alle vijf de schriften, de complete sleutel.

Hij denkt aan wat meneer Van der Klugt hem daarnet nog meer heeft verteld. Dat hij werd ontslagen als geheim agent toen de geheime dienst moest bezuinigen. Er waren minder agenten nodig, want de kans dat de Russen zouden aanvallen, was steeds minder groot. Voor de Klugt-code hadden ze geen belangstelling meer. Elke geheim agent zou een computer nodig hebben zo groot als een complete huiskamer om de code te kunnen gebruiken. Het uitrekenen van de sleutel kostte zelfs dan nog een dag of drie. Handig hoor, een code die zó goed was dat niemand hem kon lezen – ook de mensen niet die het bericht ontvingen.

'Wat ben jij lang weggebleven,' zegt zijn vader als hij de winkel binnenkomt. 'Ik dacht dat je me vandaag zou helpen.'

Thijs werpt een blik op de klok en ziet dat het bijna half zes is. De winkel gaat dadelijk dicht.

'Of heb je vanmiddag een briljant plan bedacht om die spam buiten mijn computer te houden?'

Thijs schudt zijn hoofd en wil zich net verontschuldigen, als hem iets te binnen schiet. Als een bloem aan een cactus ontluikt er een plannetje in zijn achterhoofd.

'Pap, toen iedereen bang was voor de Russen, hoelang is dat geleden?'

'Nou, wel minstens vijfentwintig jaar, als het niet meer is,' zegt zijn vader.

'Enne, had je toen al computers?'

Zijn vader schudt zijn hoofd. 'Ze wáren er wel natuurlijk, maar lang niet zo goed als nu.' Hij wijst naar de computer die onder de toonbank staat. 'Dat ding daar is duizend keer sneller dan de computers van vijfentwintig jaar geleden. Het is het verschil tussen een slak en een jachtluipaard.'

'Dus eh ...' Thijs probeert de vraag zo onschuldig mogelijk te stellen. 'Dus vroeger konden computers niet wat ze nu wel kunnen?'

'Daar komt het wel op neer. Het is allemaal niet meer met elkaar te vergelijken. Met dat kastje daar zou je een raket naar de maan kunnen sturen, als je er de juiste programma's voor had.'

'Ik ga alvast naar huis, hoor,' zegt Thijs, 'want ik heb geloof ik een plannetje.'

Zijn vader heeft hem op een geweldig idee gebracht.

Wat zou er gebeuren als alle getallen van de Klugtsleutel in de computer zitten? Toen meneer Van der Klugt zijn code bedacht, waren er alleen maar heel grote, trage computers. Je had nog geen pc's of handcomputertjes. Tegenwoordig zijn die er wel. Nu zou het een fluitje van een cent zijn om de sleutel van de code te lezen.

Het kost Thijs drie dagen om alles in de computer te zetten. Hij heeft geen scanner, dus elk getal moet hij met de hand intikken.

Maar nu, denkt Thijs, nu moet het natuurlijk ook nog wérken. En dan, wat wil hij er dan eigenlijk mee?

Het antwoord op die vraag komt als zijn vader wil weten of hij al iets heeft kunnen bedenken voor de spam. Er komt bijna alléén nog maar ongevraagde en ongewenste mail op de computer binnen.

'Het kan toch niet zo moeilijk zijn om post die je niet hebben wilt buiten de deur te houden?' moppert zijn vader. 'Waarom heb je daar idioot grote programma's voor nodig die ook nog idioot duur zijn?'

Thijs weet opeens wat ze kunnen doen om spam te stoppen. De code van meneer Van der Klugt zou best eens een heel goede manier kunnen zijn.

2.

Het is gaan regenen en Thijs voelt de koude druppels door zijn sweatshirt heen. Hij zou naar huis moeten gaan, maar dat durft hij niet zo goed. Het liefst zou hij zich verstoppen, net zoals meneer Van der Klugt heeft gedaan, al weet hij dat dat geen zin heeft. Je kunt je in deze moderne wereld helemaal niet verstoppen. In de ruimte hangen satellieten met camera's die tot op je bord kunnen kijken. Afluistermicrofoons pikken zelfs het zoemen van een vlieg op vijfhonderd meter afstand op.

Thijs is gaan lopen omdat hij moest nadenken, maar van nadenken komt het niet. Hij weet geen oplossing voor de problemen waar hij tot zijn nek in zit.

Als hij de schriften van meneer Van der Klugt niet gevonden had, zou er niets aan de hand zijn geweest. Was hij maar niet zo'n puzzelliefhebber geweest. Had hij maar beter naar zichzelf geluisterd ...

Spijt hebben heeft geen zin. Thijs moet besluiten nemen. De wereld zal nooit meer worden zoals hij was. Thijs kan alleen nog redden wat er te redden valt. Eigenlijk wist hij voordat hij ging wandelen al wat hij zou gaan doen: hij zal zich overgeven. Wie had dat kunnen denken toen hij besloot een code in zijn computer in te tikken?

Hulp

Natuurlijk heeft zijn vader gelijk. Een programma bouwen voor een computer doe je niet zomaar even. Gelukkig zijn er op het internet allerlei hulpjes te vinden. Er is zelfs een hele site met programma's die je helpen met het bouwen van programma's. Maar zelfs dan is het nog niet gemakkelijk. Thijs maakt een paar proefprogramma's, maar die lopen steeds vast. Hij weet ook eigenlijk niet precies hoe de code en de sleutel werken.

Wat wel handig is: je kunt al je probeersels in een soort kluisje opslaan. De programma's draaien dan op het internet en niet op je eigen computer, zodat er niks kan vastlopen. Voor de zekerheid bewaart hij zijn probeersels in zijn kluis, die hij Thijs-Sijht noemt. Met dat naamgrapje is hij wel tevreden.

Op woensdagmiddag gaat Thijs met de schriften naar de oude meneer Van der Klugt. Hij wil vertellen over zijn plan en antwoord op zijn vragen krijgen.

Meneer Van der Klugt zit te drummen. Je kunt het op de stoep horen en het geroffel overstemt de bel.

Thijs wacht tot er een stilte valt en drukt dan nog een keer, alsof hij door de bel héén wil.

Even later gaat de deur open. Meneer Van der Klugt

heeft zweet op zijn bovenlip, je kunt zien dat drummen zwaar werk is. Gek wel, zo'n oude meneer die drummer is.

'Hee, maatje,' zegt meneer Van der Klugt. 'Gezellig, kom binnen. Vertel, wat heb je ontdekt?'

Hij neemt Thijs mee naar binnen en schenkt voor hen allebei appelsap in. Ze gaan aan tafel zitten.

Thijs legt uit wat hij gedaan heeft met de sleutel van de code, en de oude meneer kijkt hem aan of hij water ziet branden.

'Ja natuurlijk!' zegt hij, als Thijs klaar is. 'Natuurlijk kunnen computers tegenwoordig álles. Ze kunnen zelfs uit zichzelf drummen. Zie je nou, ik was gewoon mijn tijd vooruit. Als ik nú met die code bij mijn bazen was gekomen ...' Zijn stem zakt weg en hij schudt zijn hoofd. 'Dan was ik te laat geweest,' zegt hij. 'De Koude Oorlog is voorbij, de Russen zijn allang geen vijanden meer en niemand zit nog te wachten op dit soort codes. Ach ... te vroeg met iets zijn, is net zo zinloos als te laat met iets zijn. Er zijn gewoon niet genoeg spionnen meer om codes voor te maken.'

'Jawel!' zegt Thijs. 'Spyware en virussen.'

'Spyware?' zegt meneer Van der Klugt. 'Ik ben een oude man, wil je alsjeblieft niet van die moderne woorden gebruiken? Virussen ken ik, maar de rest ...'

Thijs legt het hem uit. Virussen zijn programma's die je computer stukmaken. Wat daar de lol van is, kan hij niet uitleggen, want dat weet hij niet. Spyware zoekt allerlei informatie op je computer, bijvoorbeeld het nummer van je bankrekening of je creditcard. Zo kunnen criminelen je geld stelen of op jouw kosten dingen kopen.

'Aha,' zegt meneer Van der Klugt. 'Kortom, het sterft dus van de spionnen op internet. En hoe wil jij mijn code daartegen gebruiken?'

Het is zo simpel. Het is zó ontzettend simpel. Thijs voelt dat hij begint te gloeien. Hij heeft een briljant idee! Als je je computer beschermt met de Klugt-code, kan er geen virus meer in. Geen programma kan nog stiekem op de harde schijf worden gezet. De code is niet alleen tegen spam, hij is tegen álles!

Hij legt het meneer Van der Klugt zo eenvoudig mogelijk uit. De oude meneer kijkt hem bewonderend aan. 'En ga jij dat programma bouwen? Kun jij dat?'

Thijs gloeit nog steeds, maar nu meer van een soort schaamte. 'Tja ... eh ... ik weet niet of ik dat kan. Ik denk het wel, of misschien ook niet, want uw code is best ingewikkeld en ...'

Meneer Van der Klugt geeft hem een klopje op zijn arm. 'Natuurlijk is hij ingewikkeld, het is hogere wiskunde. Maar ik weet wel wat. Een oud-collega van de geheime dienst heeft een zoon, Cas. Die schijnt iets in de computers te doen. Hij mag ons helpen met dat programma. Als je iets zelf niet kunt, is het zinloos om te blijven hannesen; dan moet je hulp inroepen.'

Hij staat op en loopt naar de telefoon.

Als meneer Van der Klugt een halfuurtje later klaar is met bellen, weet Thijs al dat ze beet hebben.

'Ga je mee?' zegt de oude meneer. 'Die zoon is thuis, hij verwacht ons. We gaan hem ons plan uitleggen. We nemen de bus, want het is niet ver, maar voor een ouwe sok als ik toch nog een hele wandeling. Goed dat je de schriften bij je hebt, die kunnen we dan meteen geven. Maar wacht even ...'

Hij loopt met de schriften de kamer uit. Thijs hoort hem rommelen in de slaapkamer en een paar minuten later is hij terug. 'Klaar. We kunnen.'

Ruim een halfuur later staan ze in de Tafelbergstraat, vlak bij de winkelstraat waar de weggeefwinkel is. De bus heeft er twee keer zo lang over gedaan als Thijs lopend had gekund.

Meneer Van der Klugt loopt zoekend langs de voordeuren. 'Aha,' zegt hij, als ze bij een wat verveloze voordeur staan. 'Nummer 55, hier is het.'

Hij belt aan en de deur gaat meteen open, alsof er iemand achter heeft staan wachten.

'Oom Siegfried!' zegt een stem. 'Dat is jaren geleden, komt u binnen!'

De deur gaat wijd open en Thijs kan nu zien wie er bij de stem hoort. Het is een man met grijs krullend haar en een rond brilletje. Thijs herkent de man op het moment dat hij langs hem heen de schemerige gang binnengaat. Het is iemand die er niet uitziet alsof hij een gratis com-

55

putermonitor nodig heeft, maar wel iemand anders een knal wil geven om er gratis een te krijgen.

De man die meneer Van der Klugt 'oom Siegfried' heeft genoemd, is de man die vorige week ruzie schopte in de weggeefwinkel.

Niets is wat het lijkt

Je mag mensen niet op één ding beoordelen. Thijs weet het best. En de man, die Cas Arts blijkt te heten, is veel aardiger dan hij in de winkel leek.

Hij luistert naar het verhaal dat Thijs en meneer Van der Klugt vertellen. Oom Siegfried, denkt Thijs, aparte naam; zo zou hij hem niet durven noemen.

Als ze klaar zijn met hun verhaal, is het een poosje stil. Cas Arts wrijft in zijn ogen, zijn brilletje hopt mee met zijn vingers.

'Een foutloze spamfilter,' zegt hij. 'Of nee, als ik het goed begrijp, een foutloze bescherming tegen alles en iedereen die een computer wil aanvallen.' Hij zet zijn bril af en ademt op de glazen. Terwijl hij ze schoonpoetst, zegt hij: 'Dus het idee is dat de Klugt-code als een soort stadsmuur om alles in je computer heen staat. Alleen als je de sleutel hebt, kun je de stad in.'

Meneer Van der Klugt knikt. 'Als je van je computer één grote code maakt, kan niemand zomaar iets op je harde schijf zetten. Zo is het toch, Thijs?'

Thijs voelt zich een beetje opgelaten. Hier zit hij met twee grote mensen die hij moet uitleggen wat zijn plannetje is, terwijl hij het zelf niet eens goed begrijpt. Maar wat meneer Arts zei over een stadsmuur en een sleutel, is wel wat hij bedoelt. Dus hij knikt.

'Het vervelende is,' zegt meneer Arts, 'dat er geen onkraakbare codes bestaan.'

'Maar de mijne is dat wel,' zegt meneer Van der Klugt. 'Dat kun je bij je vader navragen, als je me niet gelooft.'

Meneer Arts zet zijn brilletje weer op. 'We zullen het wel merken als we bezig zijn.'

'Dus je wilt ons helpen?' zegt de oude meneer.

Cas tilt zijn handen op. 'Oom Sieg, hoe kan ik nou nee tegen u zeggen? En bovendien, als u gelijk hebt, zijn we over een tijdje net zo beroemd als de uitvinder van Windows ... en net zo rijk.'

Thijs staat op. 'Ik moet weer naar de winkel,' zegt hij. 'Ik moet eigenlijk mijn vader helpen.'

De ogen van Cas Arts lichten even op, alsof er zonlicht op zijn brillenglazen valt. 'Nóú weet ik het. Jij bent van de weggeefwinkel. Ik dacht de hele tijd al: ik ken dat jochie.'

Thijs kan niet veel anders doen dan knikken. Hij heeft zichzelf verraden. 'U had vorige week ruzie om een monitor,' zegt hij.

Meneer Arts lacht droog en snuift daarna verontwaardigd. 'Het ging me niet om die monitor,' zegt hij. 'Als ik een monitor nodig heb, kóóp ik er een. Nee, die etter die hem wilde hebben, dáár ging het me om.'

Thijs kijkt hem verbaasd aan. Wat is er met de magere jongen die de monitor uiteindelijk heeft meegenomen?

'Die knul is een hacker,' zegt meneer Arts. 'Hij zit in

zo'n clubje dat computers kraakt. Hij beweert dat-ie dat doet om ons te helpen. Om ons te laten zien waar de fouten in programma's zitten. Maar het is natuurlijk gewoon een vuile internetcrimineel. Wat had ik die gozer graag een klap gegeven! Het zijn dát soort smeerlappen die het verpesten voor ons allemaal. Door dát soort etters hebben we spam en spyware en virussen. Ze worden er rijk van, geloof me maar. En dan gratis een beeldscherm willen meenemen ...' Hij snuift nog eens, als een boze stier.

Bij de voordeur, als Thijs al buiten staat, zegt meneer Arts: 'Je moet beloven dat je je mond houdt. Als jij gelijk hebt en als de code van oom Siegfried zo goed is als hij zegt, hebben we goud in handen. Niemand mag ervan afweten. Zelfs je ouders niet. Denk je dat je dit geheim kunt bewaren?'

Thijs knikt. 'Is het heel moeilijk om een programma voor de Klugt-code te schrijven?'

Cas Arts schudt zijn hoofd. Zijn grijze krullen dansen mee. 'Ik denk dat ik dat in een dag wel voor elkaar heb. Ik heb bestaande programma's die ik als voorbeeld kan gebruiken. Vroeger was programma's maken een heidense klus, nu is het een kwestie van knippen en plakken. Daarna moeten we natuurlijk een hele reeks testjes doen. En dan ... dan is het maar net wie het meeste biedt.'

Het is niet ver lopen naar de winkel, maar ver genoeg om Thijs' gedachten de hele wereld af te laten gaan. Net zo rijk als de man van Windows ... de hoogste bieder voor hun programma ... Kun je steenrijk zijn als je nog op school zit? En mag je dan met dat geld doen wat je wilt?

Thijs ziet paleizen voor zich. Hij ziet alles wat hij altijd al wilde hebben. Zijn vader en moeder geloven niet in geld en spullen en steeds maar meer willen hebben. Wat zullen ze zeggen als hij thuis vertelt dat ze binnenkort een landhuis kunnen kopen en een zeilboot en drie auto's?

Hij moet het gewoon nog niet vertellen, besluit hij. Pas als het allemaal wáár is, als het allemaal echt gebeurt, vertelt hij het ze.

Als hij de hoek om slaat van de straat waar de winkel is, ziet hij de magere jongen lopen. De hacker, zoals Cas Arts hem noemde. De jongen ziet er met zijn paardenstaart en spijkerbroek niet uit als een misdadiger. Hij lijkt helemaal niet op iemand die virussen bedenkt, of spam verstuurt, maar je mag niet op de buitenkant afgaan, dat weet Thijs. Toch is het raar dat je je zo kunt vergissen in mensen. Waarom wil een hacker, die geld verdient met virussen en spam, een gratis monitor? En waarom leek de jongen écht dankbaar toen hij het beeldscherm mocht meenemen?

Als Thijs de winkel binnenloopt, is het eerste wat hij ziet een flinke berg nieuwe spullen. Er zijn weer veel mensen geweest die van hun oude zooi af moesten. Er zijn altijd meer mensen die iets komen brengen dan mensen die iets komen halen.

Thijs kijkt even snel naar wat er vandaag gebracht is. Niks waar hij interesse in heeft.

'Zo,' zegt zijn vader, 'ben je daar weer eens?'

Thijs doet net of hij de toon in zijn vaders stem niet hoort.

'Jammer dat je er niet bij was. Je had er wat van kunnen leren. Weet je nog, die jongen die vorige week ruzie had om dat beeldscherm?'

Thijs knikt.

'Tjerk, heet hij. Hij heeft daarnet een programmaatje op mijn pc gezet. Als het goed is, ben ik nu van alle spam en dat soort narigheid af. Aardig, hè?'

'Hartstikke,' zegt Thijs. Maar hij vertrouwt het niet en hij denkt: wacht maar, pa. Over een poosje is het afgelopen met spam en virussen. Dan kunnen hackers het wel schudden met hun vuile plannetjes.

Nog steeds snapt hij niet wat er de lol van is om andermans computers stuk te maken. Het blijft gemeen om bij mensen gegevens te pikken en hun bankrekeningen te plunderen.

De Klugt-code maakt daar voorgoed een einde aan. Thijs probeert zich voor te stellen hoe dankbaar de mensen hem zullen zijn, maar zóveel dankbaarheid is letterlijk onvoorstelbaar.

Test

Wakker zijn en toch denken dat je droomt, is net als griep hebben zonder dat je ziek bent. De wereld lijkt niet meer echt. Thijs loopt rond alsof hij droomt. Het is alsof hij dagen achter elkaar jarig is en wacht op het cadeau van zijn leven.

Op school zijn werk doen, gaat nog net. In helpen in de winkel heeft hij geen zin. Hij doet het toch, omdat hij anders alléén maar zit te wachten.

Iedere middag uit school gaat hij direct bij meneer Van der Klugt langs om te horen hoe het met hun programma staat. Bij meneer Arts langsgaan doet hij niet. Op de een of andere manier heeft hij het gevoel dat hij er niet welkom zal zijn. Iemand die een uniek computerprogramma maakt, wil vast niet gestoord worden.

Meneer Van der Klugt doet met een geheimzinnige glimlach open als Thijs dinsdag op zijn stoep staat.

'Jij komt als geroepen, moet je eens kijken wat ik vanochtend gekocht heb.'

De eettafel ligt vol met dozen, stukken piepschuim en plastic zakken. Daartussen staat een gloednieuwe laptop.

'Ik begrijp geen snars van die machine,' zegt de oude meneer. 'Ik ben hopeloos ouderwets, dat blijkt wel weer.

Maar als wij rijk en beroemd worden in de computers, zal ik er toch op z'n minst een in huis moeten hebben.'

Hij gaat op een eettafelstoel zitten en kijkt naar het beeldscherm. 'Hem aan- en uitzetten lukt me nog net, maar daarna ... De computers uit mijn tijd waren toch echt héél anders. Dit ziet eruit alsof alles het vanzelf doet, maar je wéét niet wat er gebeurt, omdat het vanzelf gaat. De computers van langgeleden deden alleen iets als je ze exact de goede opdracht gaf.'

Thijs pakt een stoel en schuift aan. Het volgende uur is hij bezig meneer Van der Klugt computerles te geven.

De telefoon gaat als Thijs net uitlegt dat je heel gemakkelijk voor niks op het draadloze netwerk van iemand anders kunt surfen. Het bejaardentehuis heeft een onbeveiligd netwerk, dus meneer Van der Klugt heeft geen abonnement nodig om het internet op te kunnen.

Wat er aan de andere kant van de telefoonlijn gezegd wordt, kan Thijs niet verstaan. Hij ziet wel dat meneer Van der Klugts ogen beginnen te glimmen.

'Ik snap niks van al die computertermen, Cas,' zegt hij. 'Maar er klopt dus ergens iets niet? ... Een fout in de code? ... Ik kan het me niet voorstellen. Maar gelukkig heb ik alles hier liggen ... ja ... ja, precies. Je hoort van me, Cas.'

Thijs heeft met groeiende bezorgdheid meegeluisterd. Is er iets vreselijk mis?

Grinnikend zet meneer Van der Klugt de telefoon te-

STAND-BY

rug in zijn houder. Hij komt weer naast Thijs zitten en glimlacht heel geheimzinnig.

'Ik ben oud en ik loop hopeloos achter, maar gék ben ik natuurlijk niet.'

Thijs kijkt hem niet-begrijpend aan.

'Ik vertrouw Cas natuurlijk helemaal, maar onvoorzichtig zijn is gevaarlijk. Ik heb hem niet de hele sleutel gegeven.'

Thijs weet even niet wat hij zeggen moet. 'Maar dan werkt het programma toch niet?'

'Hm,' zegt meneer Van der Klugt, 'het werkt gedeeltelijk. Cas vertelde net dat er helemaal níéts meer in of uit zijn computer kan. E-mailtjes kunnen niet worden verstuurd of ontvangen en hij kan het internet ook niet op. De computer is hermetisch afgesloten.'

Een enorme grijns trekt over zijn gezicht. 'Jij hebt gelijk gehad, jongen. Mijn code is een geweldige bescherming voor die computer. Cas kan het programma niet eens meer afsluiten. Hij kan het programma niet in, omdat hij een stukje van de sleutel mist. Hij heeft enorm de pest in, maar hij begrijpt nu ook wel dat we goud in handen hebben. Pas als de sleutel compleet is, kan er iets op de computer binnenkomen, of kan hij iets versturen.'

Hij kijkt Thijs aan. 'Dat ik dit nog mag meemaken. Dat mijn werk toch niet voor niets is geweest. Ga je mee naar Cas?'

Thijs knikt. Hij zal zich toch wel weer eens in de winkel moeten laten zien en Cas woont daar vlakbij.

Cas Arts ziet er niet uit als iemand die de pest in heeft dat zijn computer min of meer verlamd is door de Klugt-code. Hij heeft een grijns op zijn gezicht, die niet meer weggaat en zijn ogen twinkelen achter zijn brillenglazen.

'Oom Siegfried, ouwe boef!' zegt hij. 'Kom binnen. Hee, Thijs, leuk dat je er ook bent.'

Als ze in de huiskamer zijn, begint hij: 'U hebt me bedonderd, oom Siegfried. Ik weet niet hoe, maar u hebt iets gedaan met die code ...'

Meneer Van der Klugt legt niet uit wat hij heeft gedaan. Hij praat eroverheen. 'Cas, denk jij dat we kans maken met dit programma?'

'Oom Sieg, ik weet het zéker.' Hij loopt naar een kast en pakt er een cd'tje vanaf. 'Ik heb een kopie gemaakt. U moet hem maar uitproberen. Kijk of u tevreden bent met hoe het er allemaal uitziet. Daarna kunnen we, denk ik, wel eens gaan kijken wie er belangstelling heeft.'

Wat de twee mannen verder met elkaar bespreken, ontgaat Thijs. Ze hebben het blijkbaar over hoe je zaken moet doen en al heeft zijn vader een winkel, van zaken heeft Thijs geen verstand. Zijn gedachten glijden weg, hij denkt over alles wat je kunt kopen als je steenrijk bent.

Dat meneer Van der Klugt en Cas Arts uitgepraat zijn, hoort hij eigenlijk alleen aan de toon van hun stemmen, die verandert. Hij staat automatisch op als de oude meneer opstaat. Cas brengt hen naar de deur.

Als ze buiten staan, komt een auto met donkere, spiegelende ruiten langzaam aanrijden. Er lijkt iets op te lichten achter het raam naast de bestuurder, net of iemand een felle zaklamp aanklikt en weer uitzet.

Pas als ze bij de bushalte staan, weet Thijs wat hij gezien heeft. Geen zaklamp, maar een flitslicht. In de auto maakte iemand een foto.

De bus komt eraan en voordat de oude meneer instapt, geeft hij Thijs het schijfje. 'Bewaar jij het maar,' zegt hij. 'En verpest je computer er niet mee.'

3.

'Verpest je computer er niet mee,' zei meneer Van der Klugt. Thijs herinnert het zich alsof het gisteren was. Hij heeft zijn pc niet verpest, maar wel zijn leven en het leven van mensen om hem heen.

De auto met de donkere ramen was het begin. Ze werden gefotografeerd toen ze uit het huis van Cas Arts kwamen. Nu hij er achteraf aan denkt, weet Thijs nog wel meer momenten dat hij in de gaten gehouden werd. Die jogger die plotseling drie keer per dag langs de winkel liep en het bestelbusje dat bij hun huis stond. Het is allemaal net als in de film en het is allesbehalve spannend. Het is doodeng!

De lucht wordt iets minder grijs, de druppels vallen minder dicht. Thijs slaat een hoek om. Hij denkt aan wat Tjerk gezegd heeft: 'Ze kunnen het niet winnen,' zei hij. 'Wij zijn niet te verslaan.'

Tjerk heeft het mis gehad. 'Ze' zijn overal ...

Een verhuisauto probeert op een leeg plekje in te parkeren. Het lukt niet, de wagen komt steeds weer dwars op de weg te staan.

Thijs passeert de auto. Hij gaat iets dichter bij de huizen lopen, opeens bang dat de wagen hem zal raken.

Dan zwaaien de achterdeuren open. Twee mannen springen naar buiten. Ze zeggen geen woord, maken geen geluid.

Voordat Thijs weet wat er gebeurt, is hij opgetild en in de auto gezet. De twee mannen springen soepel naar binnen, de achterdeuren gaan dicht en de verhuisauto rijdt weg.

Het heeft allemaal minder dan tien tellen geduurd.

Thijs is niet eens echt verbaasd. Hij is zelfs niet verbaasd als hij Tjerk op een krat ziet zitten.

Zie je, denkt hij. Hij wist wel dat Tjerk niet te vertrouwen was. Hij hoort bij de vijand.

Al op die middag in de winkel vertrouwde Thijs het niet. Hij ziet zichzelf nog binnenkomen, met het schijfje in zijn jaszak …

Bijna-ongeluk

Thijs komt de winkel binnen en ziet Tjerk, de magere jongen met de paardenstaart, tegen de toonbank geleund staan. Hij praat enthousiast met Thijs' vader.

'Thijs!' zegt zijn vader vrolijk. 'Je moet er even bij komen. Tjerk hier is echt een computerheld. Moet je zien wat hij gaat doen! Hij gaat mijn computer twee keer zo snel maken.'

Tjerk glimlacht bescheiden. 'Als bedankje voor die monitor. Ik heb een ander besturingsprogramma geïnstalleerd,' zegt hij. 'Niks Windows. Heb je helemaal niet nodig, en je bent meteen van virussen af. Dus heb je ook niet van die beschermende programma's nodig die je computer idioot langzaam maken.'

Normaal is Thijs niet zo'n flapuit, maar vandaag is hij niet in zijn normale doen. Bovendien: op een computer zonder Windows kan hij helemaal niet werken. Híj zou zijn vader helpen. Híj, niet de een of andere computerkraker. Hij wil dat zijn vader trots op hém is, niet op iemand die geld verdient met computers verzieken en die óók nog eens gratis monitors komt halen.

'Ik heb óók een programma dat je computer helemaal beschermt. Beter dan wélk programma dan ook. En zelfs jij kunt het niet hacken!' Het klinkt venijniger dan hij zelf had verwacht.

Tjerk kijkt hem verbaasd en onderzoekend aan. 'Waarom zou ik een computer hacken?'

'Dat heb ik gehoord van iemand die er verstand van heeft.'

Tjerk gaat er niet op in. Is dat omdat hij verstandig is, of omdat hij de waarheid niet wil vertellen? 'En welk programma heb jij dan?' vraagt hij. 'Ik ken de meeste virus- en spywarescanners wel. Vertel eens?'

'Het is nog zó nieuw dat het geen naam heeft. Maar het is de Klugt-code.' Thijs heeft zijn mond voorbijgepraat. Hij hóórt het zichzelf zeggen, hij hoort hoe hij het grootste geheim van de wereld verklapt.

Zijn hoofd wordt warm, hij weet opeens niet meer waar hij kijken moet en zijn armen lijken loodzwaar.

Zijn vader en Tjerk kijken hem aan alsof hij vertelt dat hij een bank heeft overvallen.

'Wacht eens,' zegt zijn vader, 'die schriften waar je zo mee bezig was ... was dat een computerprogramma? Het was toch een code, zei je?'

'Computerprogramma's zíjn codes,' zegt Tjerk. 'Nou, ik laat de beslissing maar aan u over. Als ik dat andere programma moet installeren, doe ik het graag voor u.' Hij groet en loopt de winkel uit.

'Waarom doe je zo onaardig tegen Tjerk? Die jongen wil me alleen maar helpen. En heb jij echt een ...?'

'Dat is eigenlijk hartstikke geheim, pap,' zegt Thijs. 'Ik dacht gewoon niet na toen ik het zei.'

De telefoon gaat. Thijs' vader neemt op, luistert en

zegt dan verbaasd: 'Ja, natuurlijk, ja, hij is hier ja. Ik zal het tegen hem zeggen. Ja, goedemiddag.'

'Dat was ene meneer Van der Klugt. Of je onmiddellijk naar hem toe wilt komen.'

Nu is het Thijs' beurt om verbaasd te kijken. Hoe weet de oude meneer dat hij hier is? En waarom zou hij meteen naar De Jagtenberg moeten komen? Het kan niet anders of er is iets belangrijks aan de hand.

Dan loopt hij in een opwelling naar de plank waar een doos cd's staat. Er is bijna nooit iemand die belangstelling heeft voor de schijfjes. Hij zet de cd met de Klugtcode midden in de middelste rij schijfjes. Iets in hem zegt dat dat verstandig is.

'Wie is Van der Klugt?' vraagt zijn vader.

'De man van die schriften, je weet wel. Hij is óók een puzzelaar,' zegt Thijs luchtig. Het is niet eens een leugen.

'Wel op tijd thuis voor het eten, hè?' zegt zijn vader. 'En je moet me precies uitleggen wat er allemaal aan de hand is!'

Thijs knikt en loopt naar buiten.

Het is rustig in de winkelstraat. In de parkeerhaven bij de computerwinkel wordt een bestelbusje uitgeladen. Thijs ziet het vanuit zijn ooghoeken. Het volgende moment klinkt er een kreet. Hij voelt hoe hij van zijn voeten wordt getild en weg wordt getrokken. Een steekkarretje zoeft hem in volle vaart voorbij en botst tegen een afvalbak.

Geschrokken kijkt Thijs om zich heen. Geschrokken van het karretje of van het weggerukt worden? Hij weet het nog niet.

Nu pas ziet hij wie hem heeft gered: Tjerk.

'Dat was héél gek,' zegt Tjerk, terwijl hij Thijs overeind zet en loslaat. 'Ik durf te zweren dat een van die mannen bij dat bestelbusje een enorme zwiep aan dat karretje gaf.'

Thijs kijkt naar het bestelbusje. Er staan dozen op de stoep, slordig opgestapeld, maar het busje rijdt al weg.

'Ze laten hun lading zomaar staan,' zegt Tjerk. 'Dát is raar!'

Thijs' vader komt naar buiten. 'Kijk nou toch, die idioten!' zegt hij. 'Welke gek vernielt er zo'n karretje?' Hoofdschuddend bekijkt hij de geknakte afvalbak.

Het steekwagentje moet wel met een enorme vaart tegen de afvalbak aan gereden zijn. De paal waar de bak aan hangt, is geknakt. Het wagentje is een warboel van wielen en metaal.

Thijs voelt dat hij begint te beven. Hij had al zijn botten kunnen breken als hij onder het wagentje terecht was gekomen!

'Je ziet lijkbleek!' zegt zijn vader. 'Kom mee naar binnen, even bijkomen. Ik zal een kopje thee zetten. Die man van daarnet bel ik wel even af. Dat je later komt, of morgen of zo.'

Als Thijs in een oude leren fauteuil zit, die geen mens

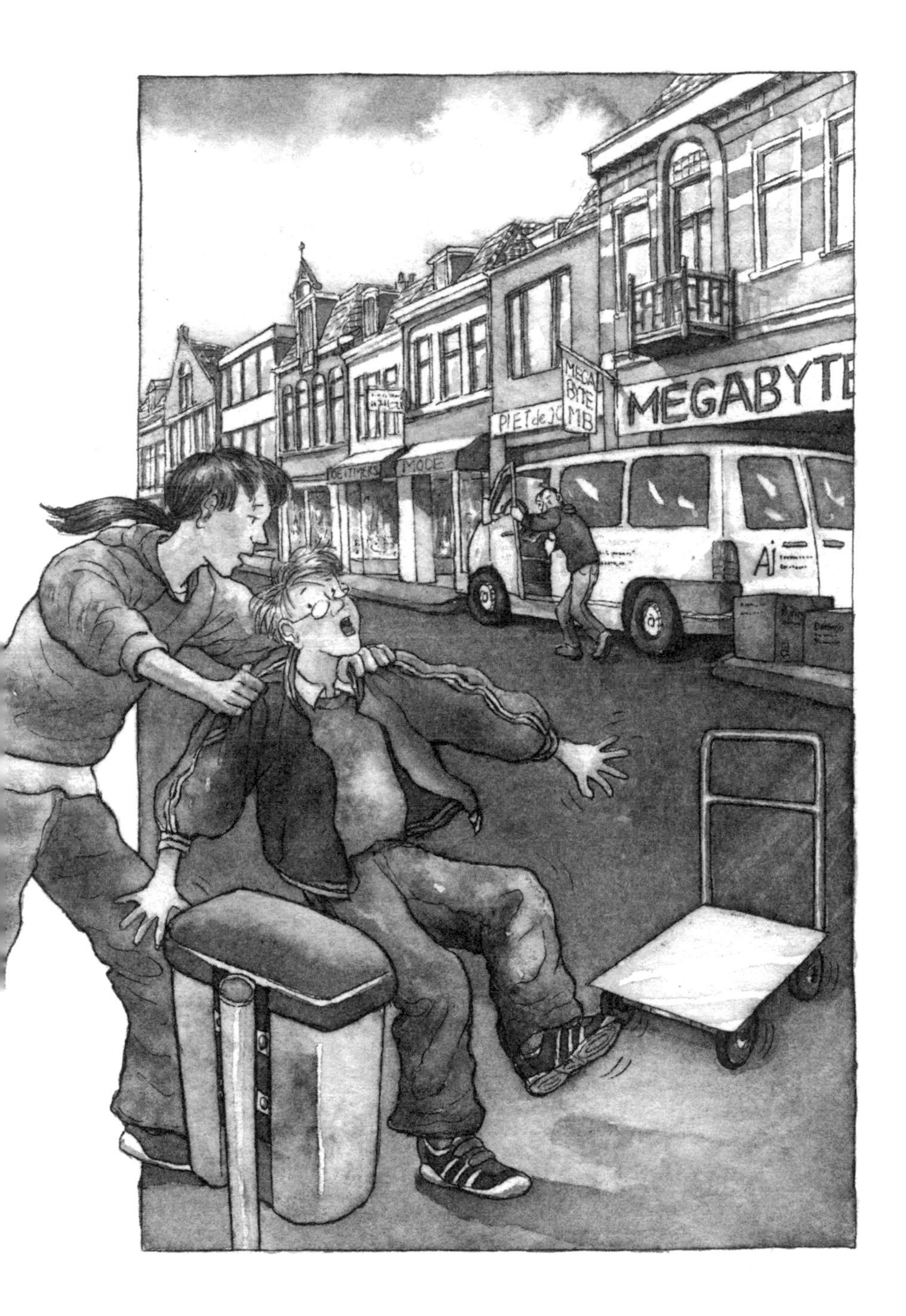
MEGABYTE
MEGA BYTE MB
MODE

wil komen afhalen, belt zijn vader meneer Van der Klugt. Dat wil zeggen, hij probeert het.

'Nou, dat is raar,' zegt hij na drie pogingen. 'Dat nummer waar die man vandaan belde, bestaat helemaal niet.'

Bedreigd

Thijs weet het wel: vroeger of later moet hij het allemaal toch vertellen. Dus vertelt hij het verhaal nu maar aan Tjerk en zijn vader. Het héle verhaal, behalve waar hij de schijf met het programma heeft verstopt.

Tjerk heeft hem behoed voor een hoop pijn en gebroken botten. En Tjerk wil heel graag iets weten over de Klugt-code. Thijs weet dat hij zijn mond niet voorbij kan praten, omdat hij toch niet kan uitleggen hoe het programma in elkaar zit. Alleen Cas Arts weet dat. Dus vertelt Thijs wat hij vertellen kan over de code. En dat Cas Arts een programma heeft gemaakt dat van de code de allerbeste beveiliging tegen virussen, spam en spyware maakt.

'Cas Arts,' zegt Tjerk. 'Die naam heb ik wel eens gehoord. Hij doet ook iets met programmeren.'

'Je hebt hem al een keer gezien,' zegt Thijs. 'Vorige week, met die monitor, weet je wel?'

'Nou ja,' zegt Tjerk. 'Het moet niet veel gekker worden.'

'Cas Arts vertelde me dat jij een hacker bent,' zegt Thijs en hij schaamt zich dat hij zo slecht over Tjerk gedacht heeft. Zonder hem zou hij nu in het ziekenhuis hebben gelegen.

Thijs' vader zet met een tweedehands waterkoker thee,

die ze drinken uit kopjes uit de winkel.

'Ik moet naar meneer Van der Klugt!' zegt Thijs opeens geschrokken. Hij was het telefoontje helemaal vergeten, terwijl er juist haast bij was!

'Ik breng je wel even,' zegt Tjerk. 'Die oude meneer lijkt me een interessante man.'

Tjerk heeft een brommer. Thijs krijgt een valhelm op die iemand ooit naar de winkel heeft gebracht en ze gaan in volle vaart naar De Jagtenberg.

De deur van meneer Van der Klugts huis staat open. Thijs is inmiddels zó op zijn hoede, dat hij onmiddellijk gevaar ruikt.

'Meneer Van der Klugt ...!' roept hij door de kier van de deur. Tot zijn opluchting komt er gewoon antwoord.

'Thijs! Kom binnen, wat ben ik blij dat je er bent. Ik maakte me al zorgen!'

Meneer Van der Klugt verschijnt in de gang. Thijs ziet meteen aan zijn gezicht dat er iets gebeurd is.

'Tjerk heeft me gebracht, want ik kon niet meteen komen toen u belde. Ik had bijna een ongeluk.'

'Dat was geen ongeluk,' zegt Tjerk beslist. 'Dat was allesbehalve een ongeluk.'

'Ik heb je niet gebeld,' zegt de oude meneer. 'En ik vroeg me al af wat jij bij de balie van het hoofdgebouw moest.'

Ze kijken elkaar even zwijgend aan; hun hersenen

zijn op volle kracht aan het werk.

'Jij ...' zegt meneer Van der Klugt dan langzaam, 'was ... niet ... bij de balie ...'

Thijs schudt zijn hoofd.

De oude meneer gooit de deur uitnodigend open, draait zich haastig om en loopt de huiskamer in. Als Thijs en Tjerk de kamer binnenkomen, staat meneer Van der Klugt bij een kast waarvan hij de laden heeft opengetrokken. Hij bestudeert de laden alsof hij de inhoud nog nooit gezien heeft.

'Zet mijn laptop eens aan,' zegt hij zonder om te kijken.

Thijs schakelt de laptop in, er gaan lichtjes branden, maar de machine start niet op.

'Stuk?' zegt Tjerk. 'Wat raar, dat ding ziet eruit alsof hij net uit de doos komt.'

'Dat komt-ie ook,' zegt meneer Van der Klugt. 'En ik weet zeker dat de papieren in deze la heel anders lagen.'

Hij draait zich om naar Thijs en Tjerk. 'Wat ben ik een stommeling! Ik ben in de truc getrapt waar alleen ezels meteen in trappen.'

Hij gaat op een eettafelstoel zitten en zucht diep. 'Ik heb nota bene zelf bij de dienst gewerkt! Ik wéét hoe het gaat, welke trucs er gebruikt worden om mensen ... Het heeft geen zin te proberen die pc aan de praat te krijgen,' zegt hij tegen Tjerk die over de laptop gebogen staat. 'Die is stuk, die hebben ze vernield.'

'Nou ja ...' zegt Tjerk, terwijl hij het apparaat oppakt

en de onderkant bekijkt. 'De harde schijf is weg, vandaar dat hij niets doet.'

Thijs kijkt van de een naar de ander en vraagt zich af wat er in hemelsnaam aan de hand is.

'Natuurlijk,' zegt meneer Van der Klugt. 'Ik ben weggelokt met een telefoontje dat jij bij de balie in het hoofdgebouw stond, Thijs. Toen hebben ze hier ingebroken en razendsnel alles doorzocht. Ze zijn in mijn laden geweest. Dat kan ik zien aan hoe de spullen liggen.'

'Logisch dat ze de harde schijf hebben meegenomen,' zegt Tjerk. 'Die kunnen ze nu rustig ergens onderzoeken.'

'Maar ...' zegt Thijs, met het vage idee dat het dom klinkt, 'de héle laptop is toch veel meer waard dan alleen een harde schijf?'

'Het gaat niet om geld, Thijs,' zegt de oude meneer. 'Het gaat om iets veel belangrijkers. Jij bent óók weggelokt, door dat telefoontje dat zogenaamd van mij kwam. Dat karretje was een waarschuwing. Je hebt geluk gehad dat Tjerk er was.'

'Waar moet ik dan voor ...' begint Thijs, maar Tjerk laat hem niet uitpraten. 'Ze zochten de code,' zegt hij. 'Ze zochten die code van u, of in elk geval aantekeningen over dat virusprogramma. Sorry, Thijs heeft verder niets verklapt dan dat.'

Meneer Van der Klugt knikt. 'Ze zochten mijn schriften, maar die zijn niet hier, die liggen bij Cas.'

Thijs voelt zich slap worden. Als hij nu naar de tv zou

zitten kijken, had hij het al aardig spannend gevonden. Maar dit is geen tv ...

Hij weet wat meneer Van der Klugt bedoelt met 'waarschuwing'. Misdadigers zijn hun programma op het spoor en waarschuwen dat ze niet moeten proberen het op de markt te brengen ...

Een inbraak en een inval

Meneer Van der Klugt staat met de telefoon in zijn hand bij de tafel. Hij luistert met gefronste wenkbrauwen en schudt dan zijn hoofd. 'Cas Arts is niet thuis,' zegt hij. 'Hij neemt in elk geval niet op. Of dat een aanwijzing is, wéét ik niet. Cas is buiten mij en Thijs om de enige die van de code afweet.'

En Tjerk, denkt Thijs, Tjerk weet het nu ook. Maar Tjerk heeft niet de tijd gehad inbraken te organiseren of een aanslag met een steekkarretje te regelen. Het kan niet anders: Cas heeft zijn mond voorbijgepraat, of hen misschien wel verraden! En toch ... er is iets niet logisch. Als Cas hen heeft verraden ... waarom zijn ze dan hier in het huisje naar de schriften komen zoeken?

Hij stelt de vraag hardop.

'Twee mogelijkheden,' zegt meneer Van der Klugt. 'Ze willen zeker zijn dat er niet ergens kopieën van de code zijn, óf ze zoeken het ontbrekende stuk van de code. Ik had Cas niet alles gegeven, weet je nog?'

Thijs weet het weer. Hij herinnert zich dat meneer Van der Klugt vlak voordat ze naar Cas gingen, met de schriften naar de slaapkamer liep en daar wat rommelde.

'U hebt de ontbrekende stukken van de code in uw slaapkamer!' zegt hij.

Meneer Van der Klugt glimlacht. 'En ik geloof dat ik die blaadjes het beste kan vernietigen voordat er nog meer ongelukken gebeuren.'

Tjerk schiet overeind. 'Dat moet u niet doen! Dan geeft u zich over en dan wint de ... vijand.'

Meneer Van der Klugt haalt zijn schouders op. 'Nee, dan wint er niemand, dus verliest er ook niemand. Maar ik kan beter nog even wachten met vernietigen. Paniek en angst zijn heel slechte raadgevers.'

'U zou met uw code een soort wondermedicijn aan de wereld geven. Dé oplossing voor het spamprobleem, dé oplossing tegen virussen. Alsof u eindelijk het medicijn tegen verkoudheid hebt gevonden. U mág die code niet vernietigen!' Tjerk trommelt even op zijn helm en zegt dan: 'Er is een manier om iedereen te slim af te zijn. Ik weet niet of het de beste manier is, maar we slaan ze meteen hun wapens uit handen.'

'En wat is die manier dan?' vraagt meneer Van der Klugt.

'Simpel, u gaat met het programma naar een softwarebedrijf en u verkoopt het.'

'Ik denk dat ik eerst maar eens naar Cas Arts ga,' zegt meneer Van der Klugt. Hij zucht en schudt zijn hoofd. 'Al die jaren bij de dienst heb ik nooit meer van spionage gemerkt dan de gesprekken die ik afluisterde. En nu opeens zit ik midden in een soort avontuur waarmee ik helemaal niets te maken wil hebben. Ik ben er te oud voor, ik heb er geen verstand van.' Hij zucht nog een keer. 'Had ik die schriften maar in de oudpapiercontainer gegooid.'

'Ik moet naar huis,' zegt Thijs, die opeens een vreselijk voorgevoel heeft, dat aan zijn maag knaagt.

'Ik breng je wel,' zegt Tjerk. Hij kijkt meneer Van der Klugt smekend aan. 'Is er ergens een kopie van dat programma? Ik zou het zó graag willen zien ... misschien kan meneer Arts er een maken? Wij zijn geen vrienden, Cas Arts en ik, maar ... nou ja, ik ben zo benieuwd hoe het programma wérkt!'

'Dat kun je niet zien,' wil Thijs zeggen, 'want de code is niet compleet,' maar hij houdt zijn mond. Hoe weet hij dat Tjerk te vertrouwen is? Hij doet vriendelijk, is behulpzaam, heeft hem zelfs gered, maar ... was dat niet allemaal om zijn vertrouwen te winnen? Hij weet het niet, hij weet niets meer zeker. Komt dat door de zenuwen in zijn lijf, het voorgevoel van iets vreselijks?

'Zal ik je bij de winkel afzetten?' zegt Tjerk over zijn schouder als ze het centrum naderen.

'Graag!' roept Thijs tegen de wind in terug.

Als ze de winkelstraat in rijden, ziet Thijs het al langs Tjerks schouder: er is iets niet in orde, er is iets aan de hand. Ter hoogte van de weggeefwinkel staan een politieauto en twee politiebusjes. Agenten lopen af en aan naar de busjes. Ze dragen dozen, kratten en stapels boeken ... Thijs weet dat de busjes voor de winkel van zijn vader staan. Zodra Tjerk stilstaat, springt Thijs van de brommer en holt naar zijn vaders winkel, maar hij vertraagt zijn pas en blijft twee winkels verderop bij de boekwinkel staan. Als hij voor de etalage staat, kan hij precies zien wat er gebeurt. De computer wordt naar buiten gedragen, de kassa, en verder kratten vol verzamelde spullen.

De boekhandelaar die binnen heeft staan kijken, komt naar buiten.

'Jullie hebben pech, jongen,' zegt hij met medelijden in zijn stem. 'Ik was al bang dat een weggeefwinkel niet lang zou leven. De Belastingdienst vertrouwt die dingen niet. Die geloven niet dat er niets verdiend wordt ...'

Thijs ziet hoe de krat met cd's naar buiten wordt gedragen. De agent die de krat vast heeft, wordt tegengehouden door een man in een ski-jack die haastig met zijn vingers langs de doosjes gaat.

En dan weet Thijs dat het niet gaat om stiekem geld verdienen. Het gaat maar om één ding: het programma dat Cas Arts heeft gemaakt, het schijfje dat onopvallend tussen de oude cd's staat.

Tjerk heeft pech: hij zal het programma nooit kunnen bekijken.

Waar is Tjerk trouwens? Thijs kijkt om zich heen maar ziet de magere jongen en zijn brommer nergens meer. Het geluid van een brandweersirene komt dichterbij, wordt zwakker en zwelt weer aan. In een van de straten verderop moet óók iets aan de hand zijn.

Thijs vraagt zich niet eens af of er iets in brand staat

en wat dan wel. Hij ziet dat zijn vader naar buiten wordt gebracht door een agent en in de politieauto wordt geduwd.

Het gevoel in een film te zitten verandert in het gevoel midden in een nachtmerrie terechtgekomen te zijn. Wat gebeurt er allemaal?

Als Thijs naar de weggeefwinkel loopt, ziet hij iemand de deur afsluiten en een sticker op het glas plakken. Een gele sticker met zwarte letters: 'Op last van de Belastingdienst gesloten.'

Wissen

Als Thijs thuiskomt, hangt er een sfeer die hij nog nooit gevoeld heeft. Zijn ouders hebben allebei een wild leven geleid toen ze jonger waren. Ze zijn kraker geweest, zaten in allerlei protestgroepen. Het is niet de eerste keer dat ze met de politie te maken hebben. Maar dat is allemaal langgeleden, lang voor Thijs geboren werd. Thijs' moeder is nu gewoon overstuur.

'Er stonden twee kerels aan de deur die het huis wilden doorzoeken! De vuilakken, ze hadden niet eens toestemming van de rechter. Ze dachten zeker dat ik achterlijk ben! Ik heb ze mooi niet binnengelaten. Maar papa zit intussen onder valse beschuldigingen op het bureau. Ik dacht dat we fatsoenlijker geworden waren in dit land!'

Thijs blijft bij haar zolang het nodig is, tot de tranen uit haar stem verdwenen zijn.

Als zijn moeder in de keuken een blik soep opwarmt, sluipt Thijs naar zijn kamer en zet zijn computer aan. De Klugt-code moet van zijn harde schijf af en wissen alleen is niet genoeg, dat weet hij wel. Het is zonde van alles wat er op zijn harde schijf staat, maar alles overschrijven is de enige oplossing. In laboratoria kan de politie bijna alles terugvinden wat er ooit op een harde schijf of een geheugenstick heeft gestaan. Gelukkig zijn er programma's die schijven echt helemaal leeg kunnen maken. Op de site waar hij zijn probeerprogramma's heeft gemaakt, kun je gratis zo'n programma downloaden.

Terwijl hij het programma binnenhaalt, denkt Thijs aan hoe onwetend hij is geweest. Gewoon een simpel antispamprogrammaatje schrijven, dacht hij vorige week nog. Nu weet hij dat zulke programma's je hele leven kunnen verzieken.

Zodra het wisprogramma binnen is, laat hij het draaien. Er komen heel veel waarschuwingsschermpjes voorbij, dat alles gewist zal worden. Onherstelbaar. Weet u het zeker? Hij klikt 'ja' op alles. Elf uur gaat het duren voor de schijf helemaal is gewist. Hij hoopt dat hij er de tijd voor krijgt, dat de politie niet vóór die tijd alweer aan de deur staat.

Zouden ze intussen het schijfje met Cas' programma gevonden hebben? Thijs moet ongewild toch even grijnzen. Wat zullen ze teleurgesteld zijn dat het programma niet werkt. En wat zullen ze de pest in hebben als ze merken dat er geen bericht meer in of uit hun computer kan!

Als hij beneden komt, zit zijn moeder met een verwarde blik in haar ogen naast de telefoon.

'Ik heb net het politiebureau gebeld,' zegt ze. 'Om te vragen wanneer papa naar huis komt en waarom die huiszoeking nodig was ...'

'En?' vraagt Thijs.

'Er is helemaal niemand aan de deur geweest voor een huiszoeking, zegt de politie.' Zijn moeder kijkt hem hulpeloos aan. 'Maar die twee mannen hadden échte identiteitskaarten. Ik heb ze bestudeerd. Het waren écht agenten ...' Haar stem zakt weg. '... Denk ik ...'

'En papa?' vraagt Thijs. 'Moet die nog lang op het bureau blijven?'

Zijn moeder schudt haar hoofd. 'Hij is al onderweg naar huis, als het goed is.'

Het duurt nog een uur voor Thijs' vader thuiskomt. Hij ziet grijs van vermoeidheid en heeft een humeur zoals Thijs nog nooit heeft meegemaakt. Zijn vader is niet snel boos, maar nu kookt hij van woede.

'Een anonieme tip bij de belasting!' briest hij. 'Die hele politiemacht om een anonieme tip! En weet je wat die tip was? Dat ik onder de toonbank verdovende middelen verkoop! Mijn computer moest mee omdat daarin zou staan wat ik allemaal verkoop en wat ik verdien met die drugshandel. Daar halen ze je zaak voor leeg, daar moet je een paar uur voor op het bureau zitten! En ik kan er níéts tegen doen, helemaal níéts.'

Thijs zegt niets, maar denkt des te meer. Smoesjes, die verdovende middelen. Ze waren naar iets heel anders op zoek en Thijs weet precies waarnaar.

Als Thijs in bed ligt, hoort hij de computer zacht brommen en klikken, alsof het apparaat in zichzelf staat te praten. Morgenochtend zal de schijf blanco zijn.

Hij vraagt zich af wie er achter de gebeurtenissen van vandaag zit. Wie heeft er zoveel macht dat hij de politie aan het werk kan zetten? Wie kan nepagenten met échte identiteitskaarten op pad sturen? Cas Arts niet, hij is gewoon maar een computermannetje. Het is natuurlijk wel mogelijk dat Cas de zaak verraden heeft. Maar aan wie?

Het advies van Tjerk lijkt hem opeens zo slecht nog niet: naar een groot computerbedrijf gaan en het programma verkopen. Dan zijn ze ervanaf en zal niemand hen nog lastig hoeven vallen. Met het besluit morgen meteen naar meneer Van der Klugt te gaan, valt hij in slaap.

Artificial Intelligence

Op school hoort Thijs wat hij de vorige middag gemist heeft. De brandweerwagen die hij hoorde, was inderdaad op weg naar een brand. Een paar jongens uit zijn klas zijn erbij geweest en praten er enthousiast over. Een paar straten achter de winkelstraat is een huis uitgebrand. In de kring leest een meisje het artikeltje uit de plaatselijke krant voor. De oorzaak van de brand was waarschijnlijk kortsluiting. Omdat de brandweer er snel bij was, kon een grotere brand voorkomen worden. De buurhuizen hebben wel flinke waterschade opgelopen. De politie is nog op zoek naar de bewoner van het pand. Die was blijkbaar niet thuis. Het is nog niet gelukt contact met hem op te nemen. Omdat Thijs met zijn gedachten heel ergens anders is, dringt het maar langzaam tot hem door dat het meisje ook de straat en het huisnummer noemt: Tafelbergstraat 55.

Het huis van Cas Arts is uitgebrand!

Het is een bliksemactie geweest, begrijpt Thijs. De vijand heeft razendsnel toegeslagen. In één keer iedereen aanpakken, die iets met de Klugt-code te maken had. Inbraak, brandstichting, politie-inval ... angst aanjagen, onder druk zetten en dan is de volgende stap wel te raden. Thijs heeft genoeg misdaadseries gezien om te weten wat er nu komt: de vijand gaat contact met hen opnemen. 'Jullie hebben gezien wat we kunnen, dus kom op met die code, want anders ...' Zo zal het dreigement ongeveer luiden. En als ze de code niet snel genoeg geven, zal er nog iets veel ergers gebeuren. Iedereen is al aangepakt door de vijand, behalve Tjerk ...

Tussen de middag gaat Thijs niet naar de winkel, zoals hij anders altijd doet. Hij vermoedt dat zijn vader van alles aan het proberen is om de zaak weer open te krijgen. Die zal hem nu niet missen. Hij gaat zo snel hij kan naar De Jagtenberg, half hollend, half snelwandelend.

Meneer Van der Klugt is thuis en gelukkig ongedeerd. Het had Thijs niet verbaasd als hij de oude meneer gewond had aangetroffen.

Thijs doet verslag van wat er gebeurd is.

'Vandaar dat ik Cas maar niet telefonisch te pakken krijg,' zegt meneer Van der Klugt. Hij kijkt Thijs bezorgd aan. 'Als hem maar niets overkomen is ... Waarschijnlijk zit hij nu ergens ondergedoken. Hopelijk op een veilige plek.' Hij schudt zijn hoofd en ziet er opeens nog ouder uit dan hij al is. 'Ik heb mijn besluit al genomen,' zegt hij dan. 'Vanochtend heb ik een uurtje in de bibliotheek in het hoofdgebouw achter de computer gezeten. Er was een vriendelijke mevrouw die me wilde helpen met surfen. Ik heb gevonden wat ik zocht. Hier in de stad zit het hoofdkantoor van een enorm softwarebedrijf. Artificial Intelligence heet het. Ik heb ze gebeld en ik kreeg bijna meteen iemand aan de lijn die me verder kon helpen. Vanmiddag heb ik een afspraak met ene Erlo Prins. Hij schijnt een hotemetoot te zijn. Ik ga hem mijn code aanbieden.'

'Mag ik mee?' vraagt Thijs.

'Dan moet je om twee uur hier zijn.'

'Ja ... dan zit ik op school,' zegt Thijs teleurgesteld.

'Je mist er niets aan,' zegt meneer Van der Klugt. 'Grotemensengesprekken, zakendoen.

Weet je wat, kom tegen vijven weer hierheen. Dan vertel ik je precies wat er allemaal gebeurd is en hoe het verder gaat.'

Die middag, na schooltijd, slentert Thijs over straat om de tijd te doden. Het is naar weer, grijs, met koude buitjes.

Hij loopt langs zijn vaders winkel, waar de etalage inmiddels dicht is geschilderd. Zelfs de naam 'Weggeefwinkel' is al van de ramen gehaald. In de Tafelbergstraat durft hij niet te blijven staan bij het uitgebrande huis van Cas Arts.

Twee agenten op straat maken hem nerveus en een auto met zwarte ruiten lijkt hem te volgen, maar er gebeurt gelukkig niets. Wat is de wereld eng als je het idee hebt dat er ieder moment een vijand kan opduiken en je niet weet hoe die vijand eruitziet. Altijd op je hoede moeten zijn, altijd overal gevaar verwachten ... Thijs weet ineens hoe vluchtelingen zich voelen, of mensen die illegaal in een land zijn.

Dat het gevaar een verhuisauto blijkt te zijn, verrast hem zó, dat hij niet eens tegenstribbelt als hij wordt gegrepen. Voordat hij het goed beseft zit hij in de lege laadruimte van de auto met Tjerk tegenover zich.

Tjerk! Hij had het kunnen weten: Tjerk was de verrader! Met zijn vriendelijke praatjes heeft hij zich naar binnen gewerkt in de winkel, is hij meneer Van der Klugts huis binnengekomen ... Thijs had het kunnen weten. Tjerk is een hacker en wie is er nou meer tegen een perfect beschermde computer dan hackers?

'Waar gaan we naartoe?' vraagt Thijs.

De verhuizers – vermomde hackers, waarschijnlijk – reageren niet. Tjerk haalt zijn schouders op. Thijs ziet dat hij zijn handen vreemd achter zijn rug heeft. Alsof ze vastgebonden zijn.

'Ik weet het niet,' zegt Tjerk dan. 'Ik weet niet eens wie die heren daar zijn.' Hij knikt naar de verhuizers.

'Blijven jullie maar rustig zitten,' zegt een van de verhuizers. 'Zo meteen krijgen jullie alles precies te horen. En hou nou allebei je klep dicht.'

Tjerk haalt zijn schouders op en glimlacht naar Thijs. Thijs kijkt strak terug.

Als de verhuiswagen een scherpe bocht maakt, valt Tjerk bijna van de krat waar hij op zit. Dan ziet Thijs dat Tjerks handen echt op zijn rug vastgebonden zijn.

Op dat moment snapt Thijs er helemaal niets meer van.

Niet veel later staat de verhuisauto stil, rijdt dan wat voor- en achteruit, alsof hij parkeert. De twee namaakverhuizers komen overeind, rekken zich een beetje uit en openen dan de laaddeuren.

'Komt u er maar uit, heren. We zijn er. Jullie worden verwacht.'

Ze worden de auto uit geholpen en Thijs ziet dat ze in een vrij grote en vrij volle parkeergarage staan.

De verhuizers brengen hen naar een lift. Naast de liftdeur zijn bordjes geschroefd met namen van ... van bedrijven. Het bovenste naambordje is van een computerbedrijf: Artificial Intelligence – AI. Het bedrijf waar meneer Van der Klugt vanmiddag een afspraak had.

Meneer Prins

Ze zitten naast elkaar in dure stoelen van wit leer, meneer Van der Klugt, Tjerk en Thijs. Ze kijken naar een kleine, kale man met een snor die achter een groot en enorm leeg bureau zit. Behalve een toetsenbord, een computerscherm en een telefoon staat er niets op het bureaublad.

'Wat bijzonder prettig dat jullie zo snel konden komen,' zegt de man achter het bureau. 'Ik heb al een nuttig gesprek met Siegfried gehad en ik vond het toch wel belangrijk dat jullie ook weten hoe de vork in de steel zit.' Hij zet zijn ellebogen op het bureaublad en legt zijn vingertoppen tegen elkaar.

'Mijn naam is Prins, Erlo Prins. Jullie mogen Erlo zeggen als je wilt. Ik ben, wat wij hier bij AI noemen, hoofd nieuwe ontwikkelingen.' Hij grinnikt, alsof hij een erg leuk grapje maakt. 'Natuurlijk hebben we daar een Engelse term voor, maar dat doet er nu niet toe.' Hij klapt in zijn handen als een blij kind. 'Siegfried heeft verteld over zijn geweldige code.' Hij kijkt naar Thijs en zegt: 'En jij had bedacht dat die code voorgoed een einde aan allerlei narigheid kon maken. Geen spam meer, geen virussen, nooit meer inbraken van hackers.'

Hij kijkt naar Tjerk. 'Dat moet jou niet leuk lijken. Jij verdient je geld met dat soort dingen.'

Artificial
Intelligence
Artificial
Intelligence

'Ho ho!' zegt Tjerk. 'Ik test programma's en websites. Ik kijk hoe veilig ze zijn om ze te kunnen verbeteren als dat nodig is!'

Meneer Prins glimlacht breed. 'Dan moet je eens met onze chef personeel gaan praten,' zegt hij. 'Wij zijn altijd blij met slimme onderzoekers. Maar goed, daar gaat het nu niet om. Siegfried heeft ons vanmiddag zijn code aangeboden. Daar zijn we heel blij mee, want we hadden hem niet compleet.'

Thijs was van plan geen woord te zeggen, maar dat lukt hem niet. 'Hè?' zegt hij.

Meneer Prins staat op uit zijn stoel en gaat op de rand van zijn bureau zitten.

'We wisten van de code omdat meneer Arts zo aardig was om ermee bij ons te komen.'

Thijs voelt dat hij kijkt als het allerdomste jongetje uit de klas. Ook meneer Van der Klugt en Tjerk zijn een en al verbazing.

'Cas Arts wilde ons het programma verkopen,' zegt meneer Prins. 'Maar hij had de code niet compleet. Eerst wilde hij niet zeggen hoe alles in elkaar zat, maar uiteindelijk vertelde hij het eerlijk. Mensen zijn eigenlijk altijd eerlijk tegen mij.'

Thijs kijkt naar meneer Prins' vriendelijke ogen en voelt een rilling over zijn rug gaan. Hij vóélt dat mensen niet uit vrije wil eerlijk zijn tegen meneer Prins.

'Het was niet netjes van Cas Arts om een programma te verkopen dat helemaal niet van hem was en bovendien niet compleet. Hij wilde er ook nog eens veel geld voor. Erg veel geld, kan ik je vertellen.'

Thijs kijkt opzij naar de oude meneer Van der Klugt.

'Nu willen wij voor een goed idee best wat betalen,' gaat meneer Prins verder. 'Goede ideeën hebben wij graag voor onszelf, dat is beter dan dat een ander bedrijf ze krijgt.'

Hij gaat staan en loopt een paar passen op hen toe. 'Als hoofd nieuwe ontwikkelingen heb ik de taak om nieuwe ontwikkelingen tegen te houden.'

'Hè?' zeggen Thijs en Tjerk tegelijk.

'Ik heb het Siegfried al uitgelegd,' zegt Erlo Prins, 'maar ik snap dat jullie het nog niet begrijpen.'

'Dus jullie stichten brand om nieuwe dingen tegen te houden?' zegt Tjerk scherp. 'En jullie breken in?'

Erlo Prins blijft halverwege een stap stilstaan. Zijn vriendelijke blik is opeens ijskoud. 'Wij wilden even laten zien wat wij allemaal kunnen. En hoe onaardig we kunnen zijn als mensen dwarsliggen.'

Erlo Prins klapt twee keer in zijn handen en aan het plafond begint een beamer te branden. Op de witte muur van het kantoor verschijnt een plaatje: een foto van Cas Arts op een vliegveld.

'We hebben meneer Arts vanochtend op het vliegtuig gezet,' zegt Prins. 'Zijn huis was toch uitgebrand, dus daar had hij niets meer aan. Ongelukje, die brand, iets met kortsluiting. Ik weet niet precies hoe mijn jongens dat gedaan hebben, maar het zijn vaklui. Alles wat Cas

Arts in huis had, is vernietigd. Zijn computers, zijn ... nou ja, alles.'

'Op het vliegtuig waarheen?' vraagt meneer Van der Klugt. Het is voor het eerst dat hij iets zegt.

'Op het vliegtuig nergens heen,' zegt meneer Prins. 'Meneer Arts heeft een eeuwigdurend vliegticket. Hij kan de rest van zijn leven de hele wereld over vliegen, overal heen waar hij maar wil. Maar zijn paspoort hebben we hem afgepakt toen hij door de douane was. Meneer Arts zal nooit een land in kunnen. Hij kan vliegen, landen en op een vliegveld rondhangen, maar zonder paspoort kom je een vliegveld niet af. En geld hebben we hem ook niet gegeven. Als hij wil eten, zal hij in een vliegtuig moeten gaan zitten en weer ergens heen vliegen. Onderweg krijgt hij dan zijn eten en drinken. Nee, over meneer Arts hoeven jullie je geen zorgen meer te maken. Wat een onbetrouwbaar type toch, hè? Hij heeft jullie verraden zodra hij kon.'

Meneer Prins klapt opnieuw en er verschijnt een andere foto op de muur.

'Kijk, dat ben jij, Siegfried. Vanochtend in het bejaardentehuis achter de computer. Terwijl je daar bezig was, hebben wij je huis nog eens goed doorzocht. We vonden de rest van je code onder een trommel van je drumstel. Leuke plek, maar niet erg veilig. Daarom hebben we hem maar meegenomen.'

Meneer Van der Klugt maakt een ademloos geluidje.

'En Thijs, tja, jij hebt ons werk voor ons gedaan. De

harde schijf was al leeg toen we je computer ophaalden. Het lab is ermee bezig, maar je hebt hem heel grondig gewist, hè?'

Thijs knikt.

'Nou, dan hoeven we ons over die kopie van de code ook geen zorgen meer te maken.'

Hij staat op, loopt naar een kast en haalt een papierversnipperaar tevoorschijn. Uit een la van zijn bureau komen de vijf schriften.

'Wilt u de code zelf vernietigen, of zal ik het doen?' vraagt hij vriendelijk.

Tjerk komt overeind alsof hij gestoken wordt. 'Nee! Dat is belachelijk! Als de code echt werkt, kunnen we de wereld van een plaag verlossen!'

Meneer Prins had de versnipperaar al aangezet. Hij doet hem weer uit. 'De code werkt echt, daar zijn we van overtuigd. We doen niet voor niets zoveel moeite om hem te vernietigen!'

Tjerk hapt naar adem als een vis op het droge.

Meneer Prins gaat weer op de rand van zijn bureau zitten. 'Het is heel simpel,' zegt hij. 'Wat gebeurt er als de code in een programma wordt verwerkt?' Hij steekt een hand op om te laten zien dat hij geen antwoord wil. 'Dan is het afgelopen met spam en virussen. Weten jullie hoeveel er verdiend wordt aan spamfilters en virusscanners? Miljoenen, miljarden. Wij maken zulke programma's bij AI. Met het verstúren van spam wordt ook nog eens miljarden verdiend. Wij versturen dus spam.'

Thijs weet even niet of hij het goed verstaan heeft. Zei Prins echt ...

'Virussen richten enorme schade aan en die moet worden hersteld. Dat herstellen doen we graag en goed. Maar virussen maken kunnen we nog veel beter.'

Thijs kijkt naar Tjerk en meneer Van der Klugt. De oude man knikt langzaam, nadenkend.

'Dus jullie verspreiden al die narigheid zelf. En bedenken er dan oplossingen voor ...'

'Die we altijd een beetje achter laten lopen,' knikt meneer Prins. 'En zo blijft het geld rollen. Dat is héél belangrijk.'

'Toen ik bij de dienst werkte, ging er een verhaaltje dat de eeuwig brandende gloeilamp was uitgevonden,' zegt meneer Van der Klugt. 'En dat ze bezig waren met motoren die op water lopen.'

Meneer Prins glimlacht. 'Ja, dat waren uitvindingen die hun tijd vooruit waren! Uitvindingen die snel diep zijn weggestopt in heel stevige kluizen.'

'Bestaan er auto's die op water kunnen rijden?' vroeg Thijs.

'Nee, zeker niet, maar het ontwerp voor een watermotor is er allang. Maar ja, aan water verdien je geen cent. Dus toen de uitvinder van die motor bij de autofabrikanten kwam ...' Meneer Prins wuift met zijn hand. 'Hij heeft, geloof ik, nog tientallen jaren prettig geleefd, maar uitvinden mocht hij niet meer. De oliemaatschappijen hebben hem goed verzorgd. Die waren blij dat ze niet failliet gingen. Want als je op water kunt rijden, of vliegen ... tja, wie koopt er dan nog benzine?'

'En de eeuwig brandende gloeilamp?' vroeg Tjerk.

'Is in de Tweede Wereldoorlog al uitgevonden,' zei meneer Prins. 'Hetzelfde verhaal.'

Hij zet de versnipperaar weer aan en begint hem de blaadjes uit de schriften te voeren. Terwijl het apparaat ronkt, praat hij verder.

'Grote uitvindingen zijn prachtig, maar soms komen ze te vroeg. Hoe moet ik dat nou uitleggen? Dat spul wat er in babyluiers zit, was eigenlijk bedacht om olievlekken op zee te bestrijden. Dat het zo goed water opneemt was per ongeluk. Het zou er nooit geweest zijn als scheepsmotoren op water liepen. Er worden heel veel ontdekkingen per ongeluk gedaan, terwijl de uitvinder naar iets heel anders op zoek was. Als er nu een perfecte virusscanner op de markt komt, zullen een heleboel uitvindingen er niet komen. Het gaat ons niet alléén maar om het geld, snappen jullie?'

Ze knikken alle drie langzaam.

'Het is beter voor iedereen als de Klugt-code er niet meer is.'

Zwijgend kijken Thijs, Tjerk en meneer Van der Klugt toe hoe de vellen in de versnipperaar gaan, tot ook het laatste blad veranderd is in een bergje slierten.

'En dan hebben we nog maar één probleem op te lossen,' zegt meneer Prins. 'Jullie.'

Thijs voelt zijn mond op slag droog worden.

Tjerk slaakt een half ingeslikte kreet.

'De code is niet weg,' zegt Thijs, en hij merkt dat hij alleen maar kan fluisteren, zo hees is hij.

'Ik heb hem op internet gezet. Iedereen kan hem lezen.' Dat is niet waar; de code zit ergens op de site waar hij heeft geprobeerd er een programma van te maken. Maar dat hoeft meneer Prins niet te weten.

Meneer Prins knikt. Hij glimlacht dunnetjes. 'Ach, weet je, Thijs, jij zag dat de code een code was. Jij was de eerste in tientallen jaren. Als jij niemand op het idee brengt eens goed naar die rijen cijfers te kijken, kan het wéér tientallen jaren duren.' Hij klapt in zijn handen en de beamer dooft.

'En we hebben een heel goede manier om te zorgen dat jij niemand op dat idee brengt.'

'U gaat ons vermoorden!' zucht Tjerk.

'Dat zou heel ondankbaar zijn,' zegt meneer Prins. 'Nee hoor, er is een oplossing die ons allemaal heel erg zal bevallen. Ik zal het je vertellen. Jij krijgt een baan bij ons bedrijf. Ik weet zeker dat het je zal bevallen. En Thijs en Siegfried, wat jullie aangaat ...'

Strandhuis

De lucht is strakblauw. Op de golven die lui over het strand glijden, zitten dunne kragen schuim. Ergens schreeuwt een zeevogel. In de jungle, die meteen achter het strand ligt, krijsen papegaaien terug.

Thijs ligt op zijn rug in de schaduw van een palmboom en bestudeert de lucht en de horizon. Hij doet dat al sinds ze hier vorige maand zijn aangekomen. Er is nog steeds geen vliegtuig voorbijgekomen, zelfs niet heel ver weg. Ook schepen heeft hij nog niet gezien.

Meneer Prins had gelijk: het eiland waar ze nu wonen, is het meest afgelegen stukje aarde ter wereld. Zelfs de satellieten hoog boven de aarde staan niet op dit deel van de wereld gericht. Het eiland is stil, zo stil dat het lijkt of de moderne wereld niet bestaat, of ze op een andere planeet zijn.

Thijs' vader komt aansloffen en ploft naast Thijs in het zand. 'En? Verveel je je al?' vraagt hij.

Thijs schudt zijn hoofd.

'Eilandwachter,' zegt zijn vader intens tevreden. 'Wat een wereldbaan! Geen consumptiemaatschappij meer. Geen computers, geen spam, geen haast ...'

'Geen gsm,' zegt Thijs. 'Ik zou best eens naar mijn vrienden thuis willen bellen.'

'Tja,' zegt zijn vader. 'Dat is nou pech, maar ik durf

te wedden dat je al die dingen over een maand niet meer mist. We hebben hier toch alles?'

Als Thijs' moeder roept, staat zijn vader op en loopt naar het houten standhuis waar ze wonen. Ze hebben hier alles ... het is wel waar. Thijs komt overeind en loopt door de zee naar het huis van oom Siegfried, dat een baai verderop staat.

Alleen Siegfried en hij weten hoe het echt zit. Dat ze door AI verbannen zijn naar dit eiland, waar communicatie met de rest van de wereld onmogelijk is. De eilanden in de omgeving zijn onbewoond. Geen mobiel netwerk, geen ADSL, helemaal niets. Ergens op een computer staat een heel klein bestandje op een site die Thijs-Sijht heet. Thijs kan er niet bij. Niemand zal de site ooit zoeken. De code is zo onvindbaar als een zandkorrel in de woestijn. Hij vraagt zich af of hij Tjerk ooit van de site heeft verteld. Hij weet het niet zeker, maar hij dacht het niet. Ach, het maakt niet eens zoveel uit. Ooit zullen ze hier nog wel eens wegkomen, maar tegen die tijd zal de code niet meer nodig zijn. Zij hebben verloren en AI heeft gewonnen.

Een reuzenschildpad komt als een levend eiland aanzwemmen. Thijs bekijkt het dier, dat misschien wel een eeuw oud is. Ach, denkt hij. Wat is verliezen? Aan zo'n stokoud beest gaat alles voorbij. Aan ons gaat ook alles voorbij. Dit eiland is een stilstaande klok, een gat in de tijd. De wereld draait door en wij merken er niks van.

Hij trekt een sprintje naar oom Siegfrieds huis. Ze zijn samen trommels aan het maken. Thijs heeft wel zin in een stevig potje drummen.

Elisabeth Marain
Tralies voor het raam

De vader van Titus zit wegens moord een lange straf uit in de gevangenis. Titus blijft geloven in zijn onschuld. Hij bezoekt hem en vertelt dan over zijn plannen om hem te bevrijden. Tot Titus hoort hoe de vork echt in de steel zit. Hoe moet het nu verder? Is er iemand die Titus kan helpen?

Met tekeningen van Marjolein Pottie

Leonie Kooiker
Kippenvriend

Johannes doet net alsof hij een vriend heeft, Michiel. Aan een echte vriend heeft hij helemaal geen behoefte. Tot hij een echte Michiel ontmoet. Ze worden vrienden en samen doen ze dingen die Johannes in zijn eentje nooit gedaan zou hebben. Ze bevrijden vijfhonderd kippen die leven in een te kleine schuur. Als er narigheid van komt, is Michiel opeens niet te vinden. Johannes vraagt zich af of Michiel nu wel zo'n speciale vriend is als hij gedacht heeft.

Met tekeningen van Marja Meijer

Monique van der Zanden

Het verschrikkelijke kookboek van tante Oep

De tante van Djolo is dol op koken.
Hield ze het nou maar gewoon bij hutspot met
worst, dan ging er misschien niet zo gek veel mis.
Maar tante Oep probeert voortdurend nieuwe recepten
te bedenken! Spaghetti met spruitjesprut … gebakken
levertjes met paardenbloemsaus …
Op een dag besluit tante Oep om een kookboek te
schrijven. Ze gaat daarvoor op wereldreis en Djolo
moet met haar mee!

Met tekeningen van Helen van Vliet

Marcel van Driel

Subroza.nl

Ondanks dat Roza haar vader nooit heeft gekend, komt zijn dood toch als een schok. De schok wordt alleen maar groter als ze hoort dat zij en haar halfbroer Lindel een computerprogramma hebben geërfd dat miljoenen waard is. Hun vader heeft de software echter ergens verborgen in een kluis en Roza en Lindel hebben slechts drie dagen de tijd om via een serie internetpuzzels te ontdekken waar die kluis zich bevindt.

Subroza.nl is een superspannende jeugdthriller in de stijl van de Da Vinci Code, die ook via internet te volgen is. Log in op www.subroza.nl en los samen met Roza en Lindel de puzzels op, voordat het te laat is!

PUUR VANILLE
DAGBOEK
Geheim!